P9-EGM-549

El flechador del cielo

¡CHIQUITITO!
¡GUAPO!
¡GALÁN!
¡ESTÁS MÁS BUENO QUE UN TLACOYO!
¡GUAPO

Moctezuma era un tipo fenomenal:
todo lo que hacía era genial.
Tiraba al blanco sin fallar.
Corría más rápido que un jaguar.
Hacía a todas las chicas suspirar.

¿VIERON A MOCTEZUMA HOY?
¡QUÉ GUAPO ESTÁ!
¡SÍ, XOCHITL, GUAPÍSIMO!
JIJIJIJI

Cuauhtémoc
era un torpe sin igual:
todo lo que hacía
le salía mal. Se metía
el pie solito al caminar.
En la escuela no
aprendía ni a sumar.
Los otros niños no
lo saludaban al pasar.

Un día, en el calpulli, el tiro
con flecha había que practicar.

El pobre Cuauhtémoc
no quería ver su turno llegar:

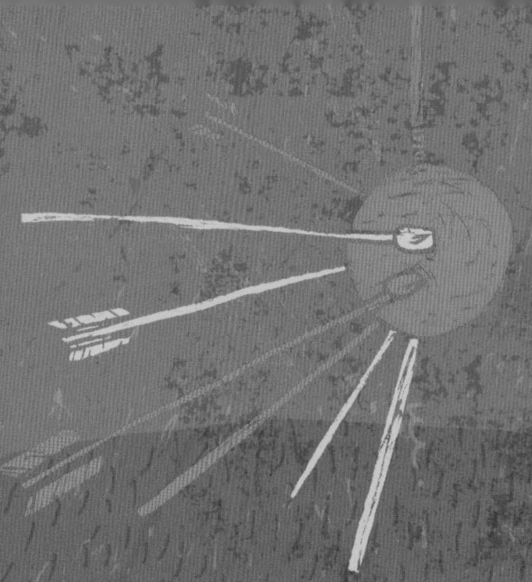

Moctezuma todo acertó: hasta con un ojo cerrado y volteado de cabeza, él nunca falló.

por tanto fallar, de él todos se iban a burlar.

A la salida de la escuela, Cuauhtémoc
a Moctezuma fue a alcanzar:
—¡Ayúdame por favor! Como tú
quisiera saber tirar.

Muy presumido, Moctezuma le contestó:
—Yo nací sabiendo tirar, por
eso soy el mejor.
Contigo podremos intentar, pero
dudo que algo te pueda enseñar.

Todas las noches, Moctezuma y Cuauhtémoc se iban a entrenar. **Tirar y tirar, y todo era fallar.** Al pobre Cuauhtémoc nada lo podía animar.

Moctezuma, que cada día se creía más, una noche decidió al cielo disparar.

Creyendo que
a todos podría
impresionar si hasta
al espacio lograba
apuntar, cuál fue su
sorpresa al ver que
una **estrella** había
logrado tumbar.

Cayendo
y
cayendo,
la estrella
flechada
se iba
acercando,
y cada vez más Moctezuma
se iba asustando.

—¡Cuauhtémoc! -gritó-.
¿Qué vamos a hacer?
¡Me tienes que ayudar!

Cuauhtémoc vio una oportunidad.
Si **acusaba** a Moctezuma, quizá
lo dejarían de admirar...
Pero si lo **ayudaba,** amigos
para siempre iban a ser.
¿Qué hacer? ¿Qué hacer?

Justo cuando se iba a decidir,
Cuauhtémoc vio en el suelo a la estrella sufrir:
—**¿Por qué disparaste al cielo,** Moctezuma? —preguntó adolorida—. Todas las noches miras a las estrellas y pides por deseo tener un amigo con quien te puedas divertir y no competir, y todas las noches respondemos:
"¡Deja de presumir!".

—Perdóname, estrellita, ¡nunca te quise herir! Si te curas, no volveré a presumir —prometió Moctezuma.

Entonces, Cuauhtémoc se decidió y
a Moctezuma ayudó. Primero, quitó
la flecha de la punta de la estrella:
—**Sana, sana, colita de rana.**
Si no sana hoy, sanará mañana.

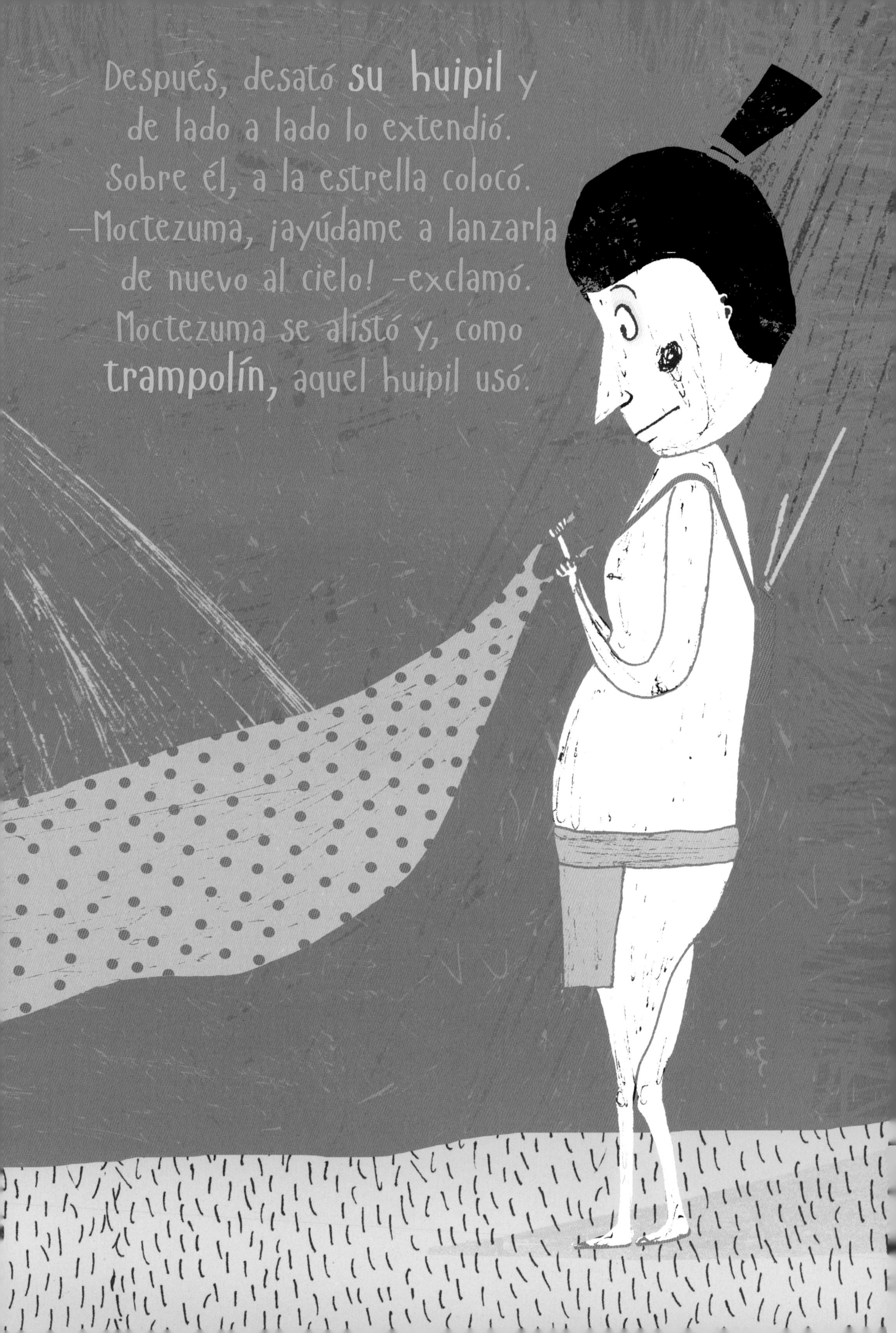

Después, desató **su huipil** y
de lado a lado lo extendió.
Sobre él, a la estrella colocó.
—Moctezuma, ¡ayúdame a lanzarla
de nuevo al cielo! -exclamó.
Moctezuma se alistó y, como
trampolín, aquel huipil usó.

Una... dos... tres... ¡POING!
Cual resorte saltarín, la estrella voló a las alturas mientras hacía divertidas figuras.

Al verla pasar, a
la luna se le oyó
con voz vivaz:

"¡Oh!
¡Una
estrella
fugaz!"

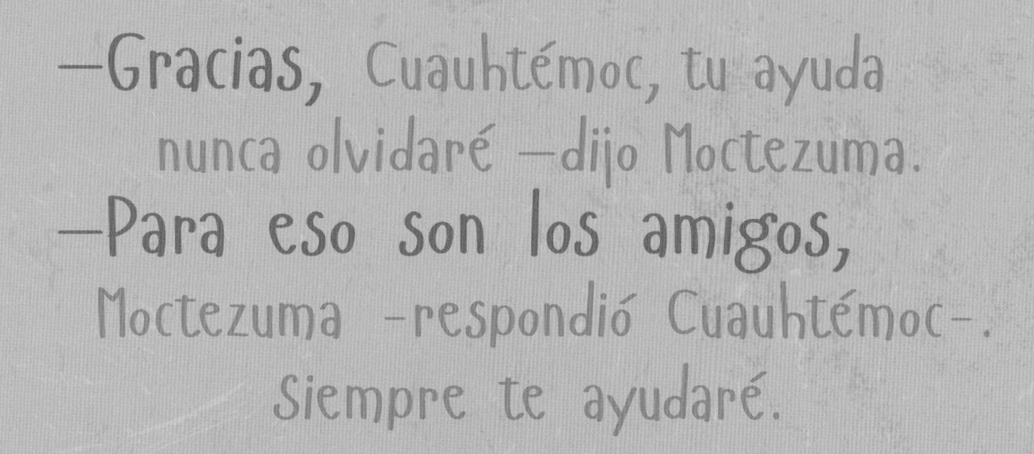

—Gracias, Cuauhtémoc, tu ayuda nunca olvidaré —dijo Moctezuma.

—Para eso son los amigos, Moctezuma —respondió Cuauhtémoc—. Siempre te ayudaré.

Si alguna vez mirando al cielo una estrella vez caer, **pide un deseo:** como a Moctezuma, **se te puede conceder.**

El flechador del cielo
Tomo 2 de la colección Monoaraña
Primera edición: enero de 2015

Prol. Calle 18 N° 254
Col. San Pedro de los Pinos
01180 México, D.F.

contacto@fundacionarmella.org
www.fundacionarmella.org

ISBN: 978-607-8415-16-8

El flechador del cielo fue escrito y editado
por Nathalie Armella y corregido por Natalia Ramos.
Las ilustraciones de la cubierta y los interiores fueron
creadas por Mariana Villanueva utilizando técnica
mixta de tinta y digital. El libro fue diseñado
por Berenice Ceja con la tipografía Hangyaboly
de Roland Hüse. Se imprimieron y encuadernaron
2,000 ejemplares en los talleres de Asia Korea con
papel estucado mate de 150 gramos.